Réalisation et arrangements : Lauri Prado, Alain Schneider
Enregistrement et mixage : Interface

Illustrations de :

Isabelle Charly : p. 8-9, 30-31, 34-35, 38-39 ; Clémentine Collinet : p. 10-11, 22-23, 26-27, 32-33, 46-47, 52-53, 56-57 ; Camille Semelet : p. 16-17, 24-25 ; Marianne Dupuy-Sauze : couverture, pochette et CD, p. 12-13, 20-21, 28-29, 40-41, 42-43, 48-49, 54-55 ; Philippe Jalbert : p. 14-15, 18-19, 36-37, 44-45 ; Sophie Ledesma : p. 50-51, 58-59, 60-61.

Comptines à chanter

volume 1

Comptines du chaton vert

Illustrations de :

Isabelle Charly, Clémentine Collinet, Camille Semelet,
Marianne Dupuy-Sauze, Philippe Jalbert, Sophie Ledesma

MILAN

Sommaire

Meunier, tu dors

Meunier, tu dors,
Ton moulin, ton moulin
Va trop vite,
Meunier, tu dors,
Ton moulin, ton moulin
Va trop fort.

Ton moulin, ton moulin
Va trop vite,
Ton moulin, ton moulin
Va trop fort.

} bis

Meu – nier, tu dors, Ton mou – lin, ton mou-lin Va trop vi – te. Meu-

nier, tu dors, Ton mou – lin, ton mou-lin Va trop fort. Ton mou-lin,

ton mou-lin Va trop vi-te, Ton mou-lin, ton mou-lin Va trop fort. Ton mou-lin,

ton mou-lin Va trop vi – te, Ton mou-lin, ton mou-lin Va trop fort.

Au feu, les pompiers

Au feu, les pompiers,
V'là la maison qui brûle !
Au feu, les pompiers,
V'là la maison brûlée !

C'est pas moi qui l'ai brûlée,
C'est la cantinière,
C'est pas moi qui l'ai brûlée,
C'est le cantinier.

10

Bonjour, ma cousine

– Bonjour, ma cousine.
– Bonjour, mon cousin germain ;
On m'a dit que vous m'aimiez,
Est-ce bien la vérité ?
– Je ne m'en soucie guère (bis)
Passez par ici et moi par là,
Au revoir, ma cousine,
Et puis voilà !

Bon-jour, ma cou - si - ne. Bon-jour, mon cou - sin ger-main ;

On m'a dit que vous m'ai-miez, Est-ce bien la vé - ri - té ?

Je n'm'en sou-cie guè - re, Je n'm'en sou-cie guè - re. Pas-sez par i-

ci et moi par là, Au r'voir, ma cou-sin', Et puis voi - là !

fin

Une souris verte

Une souris verte
Qui courait dans l'herbe,
Je l'attrape par la queue,
Je la montre à ces messieurs.
Ces messieurs me disent :
– Trempez-la dans l'huile
– Trempez-la dans l'eau,
Ça fera un escargot
Tout chaud.

Il court, il court, le furet

Il court, il court, le furet,
Le furet du bois, Mesdames,
Il court, il court, le furet,
Le furet du bois joli.
Il est passé par ici,
Il repassera par là.
Il court, il court, le furet,
Le furet du bois, Mesdames,
Il court, il court, le furet,
Le furet du bois joli.

Il court, il court, le fu – ret, Le fu – ret du bois, Mes-

dam', Il court, il court, le fu – ret, Le fur – et du bois jo – li. Il est

pas-sé par i – ci, Il re – pas-se – ra par là. Il court, il – li

17

Ah ! vous dirai-je, Maman

Ah ! vous dirai-je, Maman,
Ce qui cause mon tourment :
Papa veut que je raisonne
Comme une grande personne.
Moi je dis que les bonbons
Valent mieux que la raison.

Promenons-nous dans les bois

Promenons-nous dans les bois
Pendant que le loup n'y est pas.
Si le loup y était,
Il nous mangerait.
Mais comme il n'y est pas,
Il nous mangera pas.
Loup, y es-tu ?
Entends-tu ?
Que fais-tu ?

(En réponse, le loup dit :)
Je mets ma chemise
(ma culotte, ma veste,
mes chaussettes, etc.)
(Et pour finir :)
Je prends mon fusil !
J'arrive !

Prom'nons - nous dans les bois Pendant que le loup n'y est pas. Si le

loup y é - tait, Il nous man - ge - rait. Mais com-m'il n'y est pas, Il nous

man - q'ra pas. Loup, y es - tu ? En-tends - tu ? Que fais - tu ?

Scions, scions, scions du bois

Scions, scions, scions du bois,
Pour la mère, pour la mère,
Scions, scions, scions du bois,
Pour la mère à Nicolas,
Qu'a cassé ses sabots
En mille morceaux.

Scions, scions, scions du bois, Pour la mè - re, pour la mè - re,

Scions, scions, scions du bois, Pour la mèr' à Ni - co - las,

Qu'a cas - sé ses sa - bots En mill' mor - ceaux.

fin

Il pleut, il mouille

Il pleut, il mouille,
C'est la fête à la grenouille.
La grenouille a fait son nid,
Dessous un grand parapluie.

Il pleut, il mouil-le, C'est la fê-t' à la gre-nouil - le. La gre-

nouil-l' a fait son nid, des-sous un grand pa - ra - pluie.

Une araignée
sur le plancher

Sur le plancher, une araignée
Se tricotait des bottes.
Dans un flacon, un limaçon
Enfilait sa culotte.
J'ai vu dans le ciel
Une mouche à miel
Pincer sa guitare.
Les rats tout confus
Sonnaient l'angélus
Au son de la fanfare.

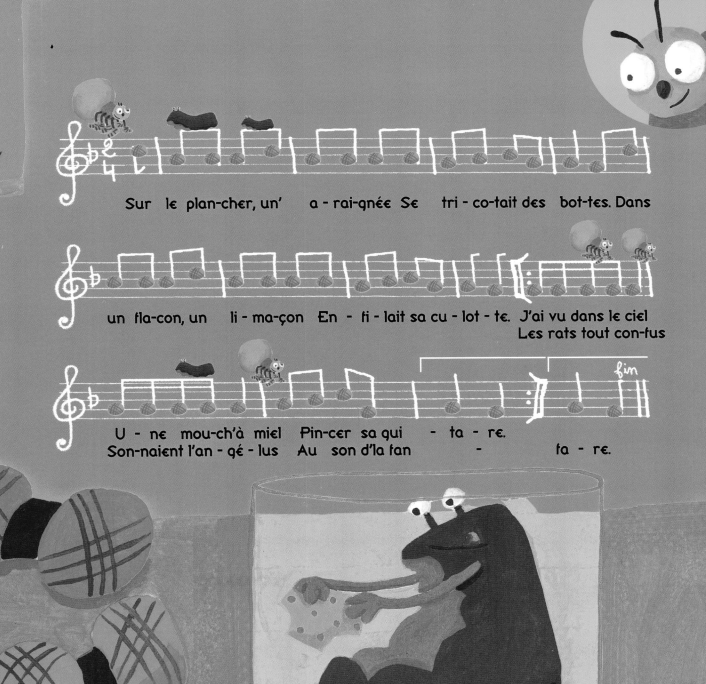

Sur le plan-cher, un' a - rai-gnée Se tri - co-tait des bot-tes. Dans

un fla-con, un li - ma-çon En - fi - lait sa cu - lot - te. J'ai vu dans le ciel
Les rats tout con-fus

U - ne mou-ch'à miel Pin-cer sa qui - ta - re.
Son-naient l'an - gé - lus Au son d'la fan - fa - re.

fin

Un, deux, trois

Un, deux, trois,
Nous irons au bois,
Quatre, cinq, six,
Cueillir des cerises,
Sept, huit, neuf,
Dans mon panier neuf,
Dix, onze, douze,
Elles seront toutes rouges.

Un, deux, trois, Nous - i - rons au bois, Quatr', cinq, six, Cueil-lir

des ce - ris', Sept, huit, neuf, Dans mon pa - nier neuf,

Dix, onz', douz', Ell' se - ront tout' rouges.

Y a une pie

Y a une pie dans le poirier,
J'entends la pie qui chante.
Y a une pie dans le poirier,
J'entends la pie chanter.
J'entends, j'entends,
J'entends la pie qui chante.
J'entends, j'entends,
J'entends la pie chanter.

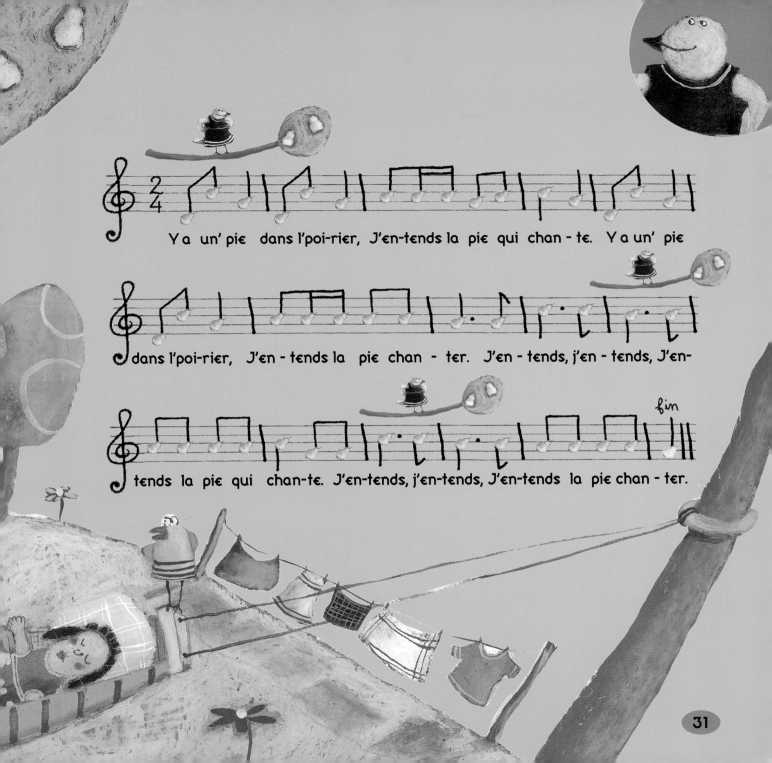

Y a un' pie dans l'poi-rier, J'en-tends la pie qui chan - te. Y a un' pie

dans l'poi-rier, J'en - tends la pie chan - ter. J'en - tends, j'en - tends, J'en-

tends la pie qui chan-te. J'en-tends, j'en-tends, J'en-tends la pie chan - ter.

C'est demain dimanche

C'est demain dimanche,
La fête à ma tante
Qui balaie sa chambre
Avec sa robe blanche.
Elle trouve une orange,
L'épluche et la mange,
Oh ! la grosse gourmande !

C'est de - main di - man - che, La fêt' à ma tan - te

Qui ba - laie sa cham - bre A - vec sa rob' blan-che. Ell' trou-v'u-n'o-

ran - gε, L'é plu-ch'et la man - gε, Oh! la gross' gour-mand'!

fin

Dans la forêt lointaine

Dans la forêt lointaine,
On entend le coucou.
Du haut de son grand chêne,
Il répond au hibou :
Coucou hibou,
Coucou hibou,
} bis
On entend le coucou.

Dans la fo-rêt loin-tai-ne, On en-tend le cou-cou. Du

haut de son grand chê-ne, Il ré-pond au hi - bou : Cou-

cou hi - bou, Cou-cou hi - bou, On en-tend le cou-cou. Cou - cou

La barbichette

Je te tiens,

Tu me tiens,

Par la barbichette.

Le premier

De nous deux

Qui rira

Aura une tapette.

Trois poules

Quand trois poules vont aux champs,
La première va devant,
La deuxième suit la première,
La troisième va derrière.
Quand trois poules vont aux champs,
La première va devant.

Am stram gram

Am stram gram
Pic et pic et colégram
Bour et bour et ratatam
Am stram gram
Pic !

40

41

Fais dodo

Fais dodo, Colas, mon petit frère,
Fais dodo, t'auras du lolo.

Maman est en haut
Qui fait du gâteau,
Papa est en bas
Qui fait du chocolat.

Fais dodo, Colas, mon petit frère,
Fais dodo, t'auras du lolo.

Fais do - do, Co - las, mon p'tit frè - re, Fais do - do, t'au-

ras du lo - lo. Ma - man est en haut Qui fait du gâ-

teau, Pa - pa est en bas Qui fait du cho-co - lat. - lo.

Ainsi font, font, font

Ainsi font, font, font
Les petites marionnettes,
Ainsi font, font, font
Trois petits tours et puis s'en vont.

Les mains aux côtés,
Sautez, sautez marionnettes,
Les mains aux côtés,
Marionnettes, recommencez.

Mais elles reviendront,
Les petites marionnettes,
Mais elles reviendront,
Quand les enfants dormiront.

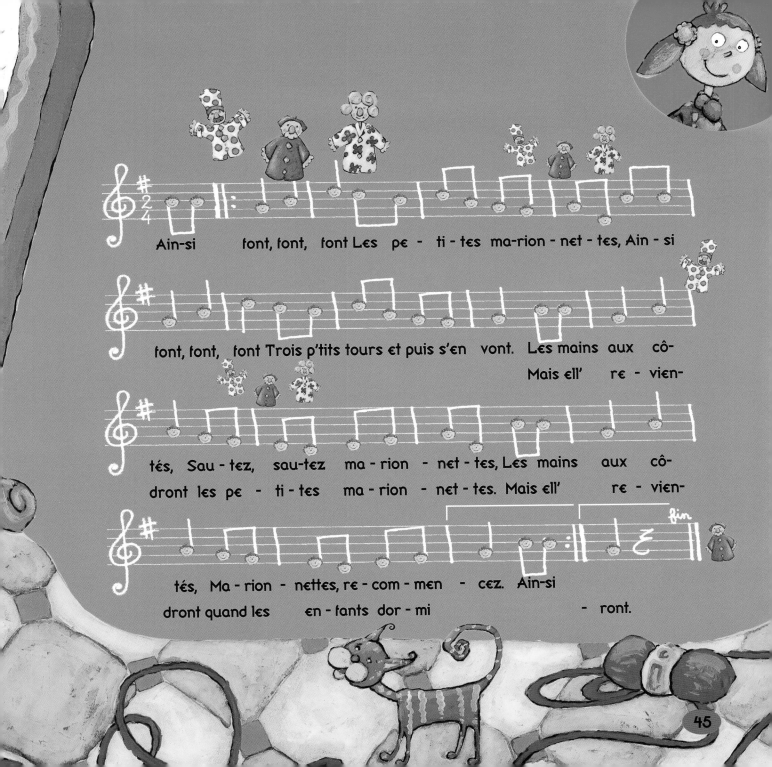

Petit escargot

Petit escargot
Porte sur son dos
Sa maisonnette.
Aussitôt qu'il pleut,
Il est tout heureux,
Il sort sa tête.

Dansons la capucine

Dansons la capucine,
Y a plus de pain chez nous !
Y en a chez la voisine,
Mais ce n'est pas pour nous.
(Crier) **You !**

Une poule sur un mur

Une poule sur un mur
Qui picote du pain dur,
Picoti, picota,
Lève la queue
Et puis s'en va !

U - ne   pou - le   sur un   mur   Qui pi - co - te   du pain

dur, Pi - co - ti, pi - co - ta, Lèv' la   queue Et puis s'en   va!

Maman, les petits bateaux

– Maman, les petits bateaux
Qui vont sur l'eau
Ont-ils des jambes ?
– Mais oui, mon gros bêta,
S'ils n'en avaient pas,
Ils ne marcheraient pas.

Ma - man, les p'tits ba-teaux Qui vont sur l'eau Ont-ils des   jam-bes ? Mais

fin

oui, mon gros bê - ta, S'ils n'en a - vaient   pas, Ils ne march' raient pas.

J'aime la galette

J'aime la galette,
Savez-vous comment ?
Quand elle est bien faite,
Avec du beurre dedans.

Tra la la la la la la la lère }
Tra la la la la la la la la. } bis

54

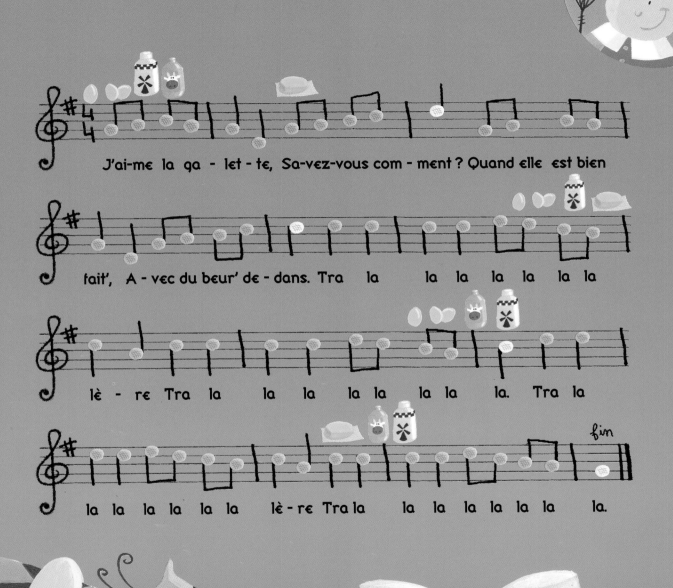

J'ai-me la ga - let - te, Sa-vez-vous com - ment ? Quand elle est bien

fait', A - vec du beur' de - dans. Tra la la la la la la la

lè - re Tra la la la la la la la la. Tra la

la la la la la la lè - re Tra la la la la la la la.

fin

À la soupe

À la soupe, soupe, soupe,
Au bouillon, ion, ion,
La soupe à l'oseille,
C'est pour les demoiselles,
La soupe à l'oignon,
C'est pour les garçons.

À la soup', soup', soup', Au bouil-lon, ion, ion, La soup' à l'o-seill', C'est pour

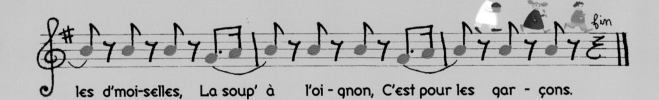

les d'moi-selles, La soup' à l'oi - gnon, C'est pour les gar - çons.

La Samaritaine

La Samaritaine, taine, taine,
Va à la fontaine, taine, taine,
Va puiser de l'eau, l'eau, l'eau,
Dans un petit seau, seau, seau,
Le pied a buté, té, té,
Le seau est tombé, bé, bé,
L'eau s'est renversée !

La Sa-ma-ri – tain', tain', tain',   Va à la fon – tain', tain', tain',

Va pui – ser de l'eau, l'eau, l'eau,   Dans un pe-tit seau, seau, seau,

Le pied a bu – té, té, té, Le seau est tom-bé, bé, bé, L'eau s'est ren-ver-sée !

fin

Pomme de reinette

Pomme de reinette et pomme d'api,
Tapis tapis rouge,
Pomme de reinette et pomme d'api,
Tapis tapis gris.